5 Una storia
minuti!

IL MAGO DEI COLORI

Terza ristampa, novembre 2021

Illustrazioni di Barbara Vagnozzi

Testo tratto da *Una storia in ogni cosa* di Stefano Bordiglioni

ISBN 978-88-6714-497-6

www.edizioniel.com

Fabbricato da Edizioni EL S.r.l., via J. Ressel 5, 34018
San Dorligo della Valle (Trieste)
Prodotto in Italia

IL MAGO DEI COLORI

Testo di **Stefano Bordiglioni**

EMME EDIZIONI

UN MAGO-CUOCO UN GIORNO TIRÒ FUORI DAL SUO CAPPELLO NERO, CHE SEMBRAVA BIANCO, UNA MELA ROSA, CHE PERÒ SEMBRAVA CELESTE.

LA MISE IN UNA PENTOLA ARANCIONE,

CHE PERÒ SEMBRAVA LILLA, E

AGGIUNSE DELL'ACQUA TRASPARENTE,

CHE PERÒ SEMBRAVA GIALLA.

POI VI ACCESE SOTTO UN BEL FUOCO ROSSO, CHE PERÒ SEMBRAVA AZZURRO.

PRESE UN CUCCHIAIO DI LEGNO

MARRONE, CHE PERÒ SEMBRAVA GRIGIO,

E SI MISE A MESCOLARE.

AGGIUNSE ANCHE UNA CIPOLLA

DI COLORE VERMIGLIO CHE PERÒ

SEMBRAVA COLOR PISTACCHIO E UN

RAMETTO DI ROSMARINO VERDE SCURO

CHE PERÒ SEMBRAVA VERDE CHIARO.

SOGNAVA DI PREPARARSI UNA BELLA MINESTRINA GIALLA, CHE PERÒ SEMBRASSE VIOLA.

L'AVREBBE MANGIATA CON UNA FETTA DI PANE COLOR ORO, CHE PERÒ SEMBRASSE ARGENTO, E CON

UN BICCHIERE DI VINO ROSÉ, CHE PERÒ SEMBRASSE FUCSIA.

PURTROPPO, QUANDO SPENSE IL
FUOCO ROSSO CHE SEMBRAVA
AZZURRO, NELLA PENTOLA ARANCIONE
CHE SEMBRAVA LILLA NON C'ERA

UNA MINESTRINA GIALLA. E NON SEMBRAVA NEANCHE VIOLA.

C'ERA UNA PAPPETTA SENZA COLORE, SCHIFIDA E MOLLICCIA COME FANGO DI PALUDE.

ODORAVA COME

FANGO DI PALUDE

E SEMBRAVA PROPRIO FANGO

DI PALUDE.

DELUSO E AFFAMATO, IL POVERO

MAGO-CUOCO

BUTTÒ VIA LA PAPPETTA SCHIFIDA

E MOLLICCIA.

E, ROSSO COME UN PEPERONE, SE NE ANDÒ A MANGIARE AL RISTORANTE.

Tre passi tra i giochi...

UNISCI I NUMERI DA 1 A 8 PER COMPLETARE IL CAPPELLO DA MAGO. DISEGNANE UNO TU, E POI COLORALI TUTTI E DUE COME VUOI.

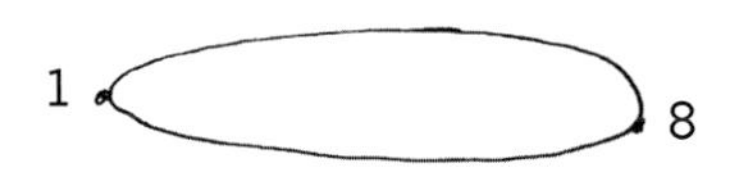

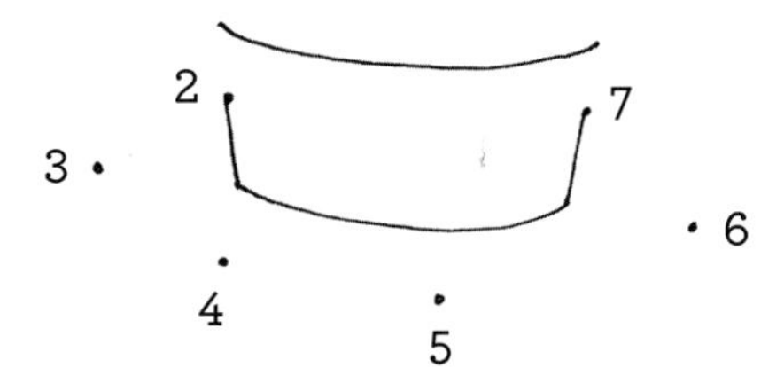

IL CAPPELLO, LA MELA E LA PENTOLA HANNO CIASCUNO UN COLORE MA SEMBRANO AVERNE UN ALTRO. COLORA OGNI OGGETTO USANDO TUTTI E DUE I SUOI COLORI.

DI CHE COLORE È LA PAPPETTA CHE IL MAGO PREPARA? CANCELLA LE RISPOSTE SBAGLIATE.

- TRASPARENTE
- GIALLA
- SENZA COLORE
- VERDE

IN OGNUNA DELLE SEGUENTI PAROLE DELLA STORIA MANCANO LE VOCALI.

SCRIVILE TU.

M _ N _ S T R _ N _

P _ N T _ L _

R _ S M _ R _ N _

F _ T T _ D _ P _ N _

P _ S T _ C C H _ _

IL MAGO-CUOCO DIVENTA ROSSO COME

UN VEGETALE. QUALE? FAI UN CERCHIO INTORNO

A QUELLO GIUSTO.

DOVE VA A MANGIARE IL MAGO-CUOCO?

COMPLETA IL CRUCIVERBA CON LE PAROLE CHE CORRISPONDONO AI DISEGNI E LEGGI LA RISPOSTA NELLA COLONNA COLORATA.

	U				
			U		
	O				
		V			
	C				
		N			
				R	
		C			
			T		
	L				

L’autore

Stefano Bordiglioni è nato a Roma piú di sessant’anni fa e ha insegnato nella scuola primaria. Ha pubblicato tantissimi libri per ragazzi e ha ricevuto numerosi riconoscimenti. Molti dei suoi libri sono stati tradotti e distribuiti all’estero. È anche autore di canzoni per ragazzi ed è stato autore di programmi televisivi.

Tre passi

Finito di stampare nel mese di ottobre 2021
per conto delle Edizioni EL
presso Stamperia Artistica Nazionale, Trofarello (To)